GILBERT DELAHAYE
MARCEL MARLIER

martine
fait la cuisine

casterman

Pour sa fête, Martine a reçu
de sa marraine un livre de
cuisine de recettes savoureuses.
Elle est impatiente d'en essayer
quelques-unes, pas trop difficiles
et puisque les vacances sont là…
Mais elle n'est pas très sûre de réussir
du premier coup. Mieux vaut demander
conseil à maman.
– Tout d'abord, dit la maman de
Martine, il faut bien respecter les

quantités indiquées dans ton livre.
Pour cela, tu devras te servir de la
balance, du verre à mesures, d'une
cuillère à soupe et d'une cuillère à
café.

Maman inscrit dans le cahier de Martine le petit tableau que voici :
Un grand verre = 2 dl (décilitres) ou 20 cl (centilitres) ou 200 g (grammes) ;
une cuillerée à soupe = 25 g ;
Une cuillerée à café = 5 g.

Par exemple, pour mesurer la cuillerée à soupe de farine, tu remplis la cuillère ; ensuite, avec un couteau, tu fais tomber ce qui dépasse des bords.

Pour bien réussir les recettes de cuisine,
le temps a aussi beaucoup d'importance.
Ainsi, il faut trois minutes pour cuire un
ŒUF À LA COQUE. Trois minutes dans
l'eau bouillante, ni plus ni moins.
Quand l'œuf est cuit, on enlève un bout
de sa coquille, on le pose dans le co-
quetier, on lui coupe un petit chapeau…
Le jaune est juste à point ! C'est utile,
n'est-ce pas, de savoir cuire un œuf à
la coque lorsque maman n'est pas là
et que bébé a faim.

Le parfait « cordon-bleu » doit faire preuve d'imagination, de savoir-faire... et aussi de patience ! C'est qu'il en faut, de la patience, pour écosser avec maman un kilo et demi de petits pois... pour cinq personnes : papa, maman, Martine, Jean et le cousin Frédéric !

– Moi, je les trouve amusants, les petits pois, se dit Moustache. En voilà un qui rebondit sous la table. Un autre se cache dans une chaussure... Un troisième roule dans un coin...

– Attention, Martine, range bien les boîtes ! Sinon, gare au sucre dans le potage et au sel dans le chocolat… Et surtout, ne sois pas distraite !

– Cette patte de lapin est à moi, déclare Patapouf.

– Non, à moi, réplique Moustache en colère.

– Voulez-vous rester tranquilles, se fâche Martine. Pendant ce temps, sur la cuisinière, le lait, qui ne demande qu'à faire des bêtises, s'enfuit. Heureusement, il en reste assez pour le pain perdu…

8

– Le PAIN PERDU, explique maman, est une recette facile et pas chère du tout. Pour une personne, il suffit de deux tranches de pain – d'un œuf – d'un peu de lait dans une assiette creuse, de sucre, de vanille et de beurre.

1. Tu enlèves la croûte des tranches de pain si elle est trop dure.

2. Tu passes chaque tranche une première fois dans le lait sucré et vanillé ; une deuxième fois dans l'œuf entier battu.

3. Tu fais fondre le beurre dans une poêle.

4. Tu fais dorer le pain perdu des deux côtés. Tu sers chaud avec du sucre blanc ou roux.

– À midi, nous mangerons du poisson, c'est certain, se dit Moustache.
Cela se devine à l'odeur. Et puis, Martine a déjà préparé un œuf pour
la mayonnaise.

Roussette l'a pondu exprès et Martine est allée le chercher avec
Patapouf au poulailler. Un bel œuf bien frais… lisse comme une boule
de billard.

10

– Comment réussir une MAYONNAISE ? Ce n'est pas compliqué, dit maman. Il faut :
un jaune d'œuf – une cuillerée à café de moutarde – du sel, du poivre – une cuillerée à soupe de vinaigre – de l'huile.

1. Dans un grand bol, tu mélanges vivement le jaune d'œuf + la moutarde + un peu de sel et de poivre.

2. Tu verses petit à petit l'huile en tournant. La mayonnaise devient épaisse.

3. Tu continues ainsi jusqu'à ce que tu aies la quantité nécessaire et tu ajoutes le vinaigre.

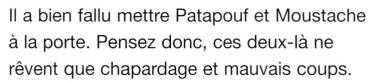

Il a bien fallu mettre Patapouf et Moustache
à la porte. Pensez donc, ces deux-là ne
rêvent que chapardage et mauvais coups.

– Si on rentrait par la fenêtre ? propose Patapouf.

– Tu n'y penses pas. C'est bien trop dangereux, répond Moustache.
N'as-tu pas entendu ? Martine a dit : « Pour le dessert, il y aura des
éclairs… »

– Oui, dit Patapouf qui aime faire peur à Moustache. Elle a même
ajouté : « Et il y aura aussi des *langues de chat*… »

– Dans ce cas, je file… Je ne tiens pas à faire les frais du dessert !

12

Martine ne se lasse pas de feuilleter son livre de cuisine.

– Oh, maman, regarde, la recette de la MOUSSE AU CHOCOLAT ! Si j'essayais…
C'est délicieux, la mousse au chocolat !

– Tu n'as qu'à suivre attentivement les indications de ton livre : par personne,
prévoir une barre de chocolat fondant – un œuf – une demi-cuillerée à soupe de
sucre en poudre – une cuillerée à café de beurre.

1. Chauffer doucement le chocolat avec un petit peu d'eau et le délayer avec soin.

2. Dans un autre plat, séparer le jaune d'œuf du blanc.

3. Au jaune, ajouter le sucre en poudre,
battre avec le fouet pour obtenir
une mousse.

4. Ajouter : le chocolat fondu, le
beurre ramolli,
le blanc d'œuf battu en neige.

5. Verser dans des coupes et
servir très frais avec des
biscuits appelés…
langues de chat.

Ce matin, maman a rapporté du marché un kilo de reinettes. Exactement les fruits qui conviennent pour préparer des pommes glacées. Avant tout, il faut faire fondre du sucre. Martine s'en occupe. Mais soudain…

– Regarde ce que je viens de trouver au grenier ! dit Jean qui entre en coup de vent dans la cuisine.
– Oh, le joli polichinelle ! Tu me le donnes ?
Et le jus de sucre, oublié sur la cuisinière, se met à bouillir, à bouillir… Si maman n'était pas arrivée, il aurait brûlé dans la casserole.

14

Voici la recette des
POMMES GLACÉES
(quatre personnes) :

4 pommes (reinettes de préférence)
– 10 à 15 morceaux de sucre blanc.
1. Faire fondre le sucre dans 2 dl d'eau.
2. Faire bouillir le jus. Lorsqu'il forme de
petites boules, y placer les pommes pelées
et vidées au vide-pomme. Mettre à cuire sous un
couvercle et surveiller la cuisson : les pommes
doivent rester entières.
3. Les placer une à une sur un plat.
4. Laisser épaissir le sirop et le verser sur les
pommes.
5. Glacer au frigo.

C'est le jour des confitures. On a cueilli toutes les fraises du jardin et tante Alice est venue à la maison donner des conseils. Car personne dans la famille ne réussit les confitures de fraises aussi bien que tante Alice.

16

CONFITURE DE FRAISES (recette de tante Alice) : 1 kg de fraises (fraîches et mûres à point) – 1 kg de sucre « minut ».
1. Laver rapidement les fraises (elles ne doivent pas séjourner dans l'eau). Laisser égoutter. Enlever les queues et couper les fraises en petits morceaux. – 2. Les mélanger au sucre dans la bassine et chauffer jusqu'à ébullition. – 3. Laisser cuire pendant 4 minutes. – 4. Mettre en pots. – 5. Fermer les pots avec de la cellophane maintenue par un élastique.

Pour faire les CRÊPES, la plus habile, c'est Martine… Enfin, c'est-à-dire… Maman l'aide beaucoup ! Préparer la pâte à crêpes n'est pas une mince affaire. Essayez vous-même.

Pour quatre personnes, il faut : 250 g de farine – 4 œufs – une pincée de sel – 50 g de beurre ramolli – un demi-litre de lait – une noix de levure.

a) *Préparation de la pâte :* 1. Mettre la farine dans un plat creux. – 2. Faire une fontaine au centre de la farine et y déposer les jaunes d'œufs, le sel et le beurre. – 3. Mélanger le tout et délayer en versant le lait tiède. – 4. Ajouter la levure (délayée auparavant dans un peu d'eau ou de lait tiédis) et les blancs d'œufs battus en neige. – 5. Déposer la pâte semi-liquide près d'une source de chaleur et la laisser lever.

b) *Cuisson :* 1. Graisser une poêle, la chauffer très fort. – 2. L'enlever un moment du feu et verser une mince couche de pâte. – 3. Laisser roussir. – 4. Retourner la crêpe avec une spatule ou, si vous êtes adroite comme Martine, en la faisant sauter dans la poêle. – 5. Servir chaud saupoudré de sucre blanc ou roux. On peut présenter les crêpes roulées après les avoir garnies de confiture.

C'est dimanche. On a invité les grands-parents de Martine à venir dîner en famille. Car ils sont curieux de goûter les petits plats que Martine prépare si bien, paraît-il…

Justement, Martine sert un de ces potages aux poireaux comme grand-père les aime.

– Mmm… Bravo, Martine, c'est délicieux ! dit-il. Dès demain, tu auras les jolis coquetiers que je t'ai promis.

20

Et après quelques mois d'exercices, Martine sait vraiment cuisiner toute seule.

Bien sûr, il y a des mets compliqués qui demandent beaucoup de savoir-faire et que seule maman peut réaliser. Mais tout de même, Martine est devenue un petit cordon-bleu à sa manière.

Avec un peu de patience et si vous suivez les conseils de votre maman, vous pourrez, vous aussi, réussir des recettes simples. Tout le monde à la maison sera surpris de vos progrès… et se régalera !

http://www.casterman.com
D'après les personnages créés par Gilbert Delahaye et Marcel Marlier / Léaucour Création.
Imprimé en Italie. Dépôt légal : 4 ᵉtrimestre 1974 ; D. 1986/0053/89.
Déposé au ministère de la Justice, Paris (loi n° 49.956 du 16 juillet 1949 sur les publications destinées à la jeunesse).
ISBN 978-2-203-10124-1